CYFLWYNIAD

Mae'r cylch hwn o ganeuon yn portreadu sgwrs rhwng y genhedlaeth iau a'r genhedlaeth hŷn gyda'r naill yn gofyn i'r llall 'O ble ddaeth y byd?'

Gan gydnabod bod hwn yn gwestiwn amhosib i'w ateb, a bod creu'r byd yn cwmpasu pedair biliwn a mwy o flynyddoedd, mae'r oedolion yn dechrau ar y stori ryfeddol. Er mwyn hwylustod, esbonnir y cyfan yn ôl y drefn a geir yn Genesis. Gwelwn awdur y byd, y Bod Mawr, yn mynd ati i gyflawni'r gwaith yn fras mewn saith cam, gan ddechrau drwy symud o'r tywyllwch i'r goleuni.

Y cam nesaf yw creu'r ffurfafen, y ddaear a'r nef. Yna, rhaid mynd ati i greu'r tir sych, y môr, yr had a'r llysiau. Yn dilyn hyn, mae'n bryd creu'r awyr a'r haul a'r lloer a'r sêr, ac wedi hynny daw'r adar, y pysgod, y creaduriaid a phobl, cyn cloi ar y seithfed dydd a chyfle i orffwys.

Wrth gyfansoddi'r cylch, ein gobaith yw y bydd y cantorion a'r gynulleidfa'n gallu chwerthin, rhyfeddu ac oedi i ystyried pa mor werthfawr yw popeth 'ar a wnaethpwyd'.

MERERID HOPWOOD

Comisiynwyd Hanes creu popeth yn y byd gan Ŵyl Gerdd Ryngwladol Gogledd Cymru a Tŷ Cerdd, a rhoddwyd y perfformiad cyntaf yng Nghadeirlan Llanelwy ar ddydd Sadwrn, Medi'r 21ain, 2019 gan:

- Côr Ysgol Pen Barras (arweinydd Sioned Roberts, cyfeilydd Elin Owen)
- Côr Cytgan Clwyd (arweinydd Ann Davies, cyfeilydd Morwen Blythin)
- Côr Rhuthun (arweinydd / cyfeilydd Robat Arwyn)
- Gwenan Mars Lloyd (unawdydd)

NODIADAU PERFFORMIO

Bwriadwyd i'r caneuon fod mor hyblyg â phosib, fel bod modd i gorau a phartïon cynradd, uwchradd ac oedolion, neu gyfuniad o'r tri, eu perfformio, a hynny fel cyfanwaith ar ei hyd, neu fel caneuon unigol.

1. PROLOG
Addas i gorau unsain neu ddeusain, wedi eu rhannu'n ddau grŵp, gydag un grŵp yn holi (e.e:"O ble ddaeth y byd?") a'r grŵp arall yn ateb (e.e: "Gofynnwch i'ch tad!"), a'r ddau grŵp yn ymuno i gyd-ganu tua'r diwedd. Gall côr cymysg ei chyflwyno'n ddeusain gyda'r sopranos a'r tenoriaid yn canu'r nodau ucha', a'r altos a'r baswyr yn canu'r nodau isa'.

2. BYDDED GOLEUNI
Addas i gôr deulais, trillais neu bedwar llais. Os côr cymysg (SAB neu SATB), y dynion i agor y gân yn unsain, a'r merched i ymuno'n unsain neu'n ddeusain o bar 14 ymlaen. Os côr merched, yr altos i agor y gân, a'r sopranos i ymuno'n unsain neu'n ddeusain ym mar 14, gan anwybyddu llinell y dynion o bar 48 ymlaen.

3. MAE'N RHAID CAEL TREFN
Addas i gôr unsain neu ddeulais, gydag ambell gord trillais opsiynol!

4. BYD HEB EI AIL
Addas i gôr deulais SA, trillais SSA neu gôr cymysg SATB. Os côr merched, gellir anwybyddu llinell y dynion hyd at bar 54, ond o far 57 hyd at 66 bydd angen i'r sopranos ganu nodau'r dynion 8fed yn uwch, tra bydd yr altos yn canu llinell y merched. Os côr merched, gellir anwybyddu llinell y dynion o bar 69 i'r diwedd.

5. PYLLAU GOLAU
Unawd.

6. DO!
Addas i gôr unsain neu ddeusain, wedi ei rannu'n ddau grŵp.

7. GORFFWYS
Addas i gôr unsain, deusain neu gôr cymysg. Os côr unsain, gellir cadw at yr alaw o'r dechrau i'r diwedd. Os côr deulais, gellir canu llinell y merched o'r dechrau i'r diwedd. Os côr cymysg, gellir perfformio'r darn pedwar llais fel y mae wedi ei ysgrifennu.

ROBAT ARWYN

HANES CREU POPETH YN Y BYD

ROBAT ARWYN

★

MERERID HOPWOOD

CYHOEDDIADAU CURIAD

Dymuna'r cyhoeddwr gydnabod cymorth ariannol Cyngor Llyfrau Cymru.

The publisher acknowledges financial support from the Books Council of Wales.

Llun y clawr/*Cover illustration*: Elin Edwards

Llun Robat Arwyn *Photograph*: Ceri Llwyd *(CeriLlwyd.com)*

Argraffiad cyntaf: Tachwedd 2020

CURIAD 1078

ISBN: 978 1 908801 18 0

Argraffwyd gan / *Printed by*: Y Lolfa, Talybont ar bapur FSC. FSC

CURIAD, Talysarn, Caernarfon,
Gwynedd LL54 6AB Cymru/Wales
Tel: +44 (0)1286 882166
curiad@curiad.co.uk
www.curiad.co.uk

CYNNWYS

Comisiwn Gŵyl Gerdd Ryngwladol Gogledd Cymru Llanelwy, 2019

HANES CREU POPETH YN Y BYD!

1. Prolog

(I gôr unsain neu ddeusain wedi ei rannu'n ddau grŵp)

MERERID HOPWOOD

ROBAT ARWYN

Yn chwareus ♩ = *c.*132

Piano

mf

5

Pno.

9

Pno.

13

Grŵp 1

mf

3

3

Oes gen-nych chi am-ser am gwes-tiwn neu ddau?

Grŵp 2

mf

Go -

Pno.

3

3

17
1.
2.
Pno.
Cwes-tiyn-au sy'n fwy nag an-fer-thol o fawr?
- fyn- nwch!
Wel,
mf
21
p
mp
O ble? O ble ddaeth y byd?
ho-lwch!
O ble ddaeth y byd?
mp
25
O ble ddaeth y byd?
O ble ddaeth y byd?
O ble ddaeth y byd?

Gall parti neu gôr unsain ddewis canu'r nodau uchaf yn unig - hyn trwy gydol y gân.

28
1.
a phryd a sut a pham?
2.
merched efallai?
Go-fyn-nwch i'ch tad! Go - fyn-nwch i'ch
bechgyn efallai?
mf
3
Pno.
mf
32
mf
O ble ddaeth y byd? O ble ddaeth y byd?
mam!
Grŵp 2 - pawb
O ble ddaeth y byd?
35
a phryd a sut a pham?
O ble ddaeth y byd?

39
Pno.
mf
43
Pno.
47
2.
mp
Oes gen-nych chi am-ser am a-teb go
Pno.
mp
51
1.
mf
Dy - we - dwch!
2.
hir?
mp
Mae'r a - teb yn
Pno.
mf

54
mf
1.
2.
Wel, dech - reu - wch!
gym - hleth, yn gym-hleth dros ben!
Pno.
mp
mf
57
Grŵp 2
mf
Bydd raid i ni fynd ar daith ym-hell bell yn ôl,
60
i am - ser cyn bod am - ser, fly - ny - ddoedd
64
rall.
a tempo
maith, fly - ny - ddoedd maith yn ôl, rhyw be - dair bil - iwn a

67
2.
han - ner o fly - ny-ddoedd maith yn ôl, ac yn ôl yn ôl yn ôl yn ôl yn
Pno.
71
ôl yn ôl yn ôl yn ôl yn ôl yn ôl yn ôl yn ôl yn ôl yn ôl yn ôl yn ôl yn
74
ôl yn ôl yn ôl, yn ôl yn ôl yn ôl yn ôl, yn
77
ôl yn ôl yn ôl yn ôl yn ôl yn ôl!

rit. a tempo
Grŵp 1
gliss.
(O! neu Y!)
Wel mae hyn-ny'n dry-bei-lig o hir,
pen-aw-dau yn
un-ig?
Tor-ri'r sto-ri yn han-ner, ei thor-ri yn chwar-ter?
O! mae'n
am-ser lla-wer iawn rhy faith!
Beth am dor-ri i naw?
beth am dor-ri i saith?
beth am dor-ri i wyth?
beth am dor-ri i saith?
Pno.

96
Grŵp 1 a 2
Pawb
mp
A gwas-gu'r rhy-fedd - od i sto-ri saith niwr-nod, a
Pno.
mp
99
mf
de-wis a de - thol rhai pwynt-iau pen-o - dol, yr u-chaf-bwynt-iau
102
f
dy - na'i gyd: HA-NES CREU PO-PETH
f
107
YN Y BYD!

2. Bydded goleuni

Creu'r goleuni - y dydd cyntaf

(I gôr SA, SSA, SAB neu SATB)

Sopranos (unsain neu ddeusain)
os côr merched
mf
13
2.
S.
S./
A.
Ond uwch, uwch_ y ty-
A./
T.B.
dy-wyll_ fel bo - la buwch.
Pno.
16
- wy - llwch,_ ga - ned syn - iad_ uwch_ uwch_ uwch,___
19
Fflach mewn lly - gad,_ ga - ned_ syn - iad,_ syn - iad uwch.
22
Altos os côr merched
mf
Dynion 8fed yn is os côr cymysg
Y mae hi'n dy-wyll dy-wyll dy-wyll_ fel bo - la buwch, yn

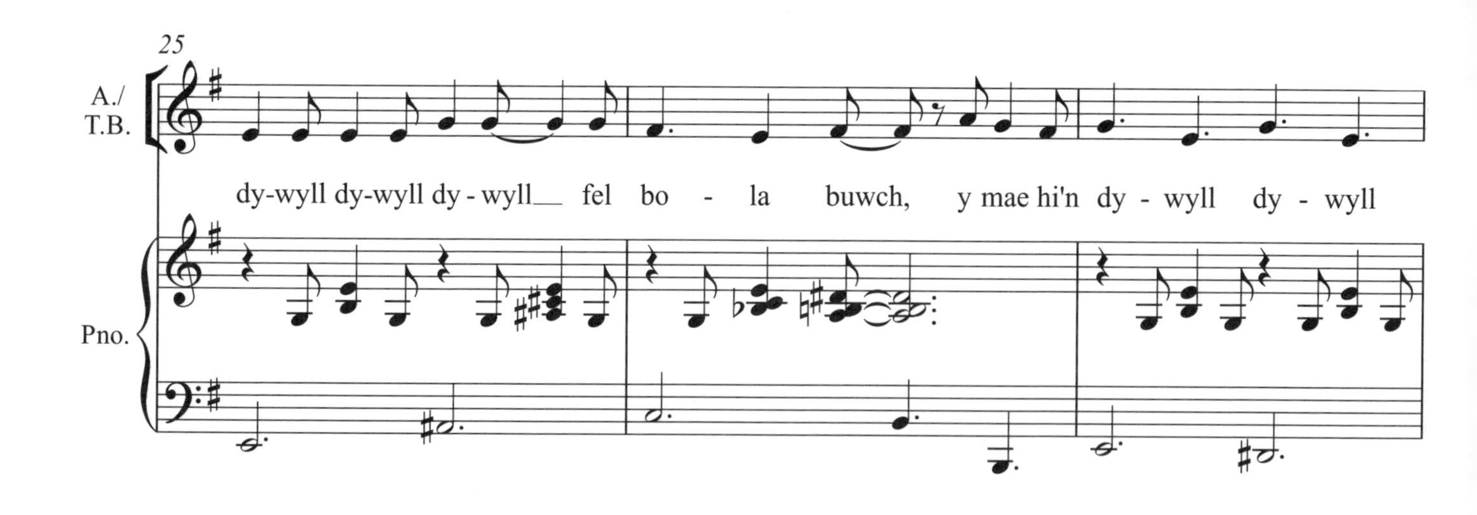
25
A./
T.B.
dy-wyll dy-wyll dy - wyll__ fel bo - la buwch, y mae hi'n dy - wyll dy - wyll
Pno.

Sopranos (unsain neu ddeusain) os côr merched. Sopranos ac altos os côr cymysg
28
S.
S./
A.
mf
Ond
A./
T.B.
mf
dy - wyll bitsh, yn dy - wyll_ fel bo - la buwch.__ Y mae hi'n
Pno.
mf

31
S.
S./
A.
uwch, uwch y ty - wy - llwch, ga - ned syn - iad__ uwch_ uwch_ uwch,
A./
T.B.
dy-wyll dy-wyll dy-wyll_ fel bo - la buwch, yn dy-wyll dy-wyll dy - wyll_ fel
Pno.

34
S.
S./
A.
Fflach mewn lly - gad, ga - ned syn - iad,
A./
T.B.
bo - la buwch, y mae hi'n dy - wyll dy - wyll dy - wyll bitsh, yn
Pno.
37
S.
S./
A.
syn - iad uwch. Ond uwch, uwch y ty -
A./
T.B.
dy - wyll fel bo - la buwch. Y mae hi'n dy-wyll dy-wyll dy-wyll fel
Pno.
40
S.
S./
A.
- wy - llwch, ga - ned syn - iad, cyn - nwyd switsh! Ac
A./
T.B.
bo - la buwch, yn dy-wyll dy-wyll dy-wyll fel bo - la buwch, y mae hi'n
Pno.

43
S.
S./
A.
we - le, we - le'n llos - gi'r geir - ie, "By - dded Go
A./
T.B.
dy - wyll dy - wyll dy - wyll bitsh! "By - dded Go
Pno.
46
rall.
molto rit.
p
f
- leu - - - - - - - - - - - ni."
- leu - - - - - - - - - - ni." - - - -
48
yn addfwyn ♩ = 46
S.
A.
A bu go - leu ni, a bu go - leu - - -
* Os côr merched, gellir anwybyddu llinell y dynion o bar 48 ymlaen
unis.
T.
B.
pp A bu go - leu - - - - - ni,
p

50
S.
A.
-ni, a bu go-leu - ni, a go-leu - ni a fu.
* nodau isa'r dynion yn opsiynol
T.
B.
a bu go - - leu - - - ni.
Pno.
52
mp
A bu go - leu - - - - ni, a bu go-leu - - ni,
p Bu go - leu ni, bu go - leu - ni,
mp
54
a go - leu - ni a fu.
a go - leu - ni a fu.

A bu go - leu ni, a bu go-leu - - -
A bu go - leu - - - - ni,
- ni, a bu go-leu - ni, a go-leu - ni a fu.
* nodau isa'r dynion yn opsiynol
a bu go - - leu - - - - ni.
A bu go - leu - - - ni, a bu go-leu - - ni,
Bu go-leu - - - ni, bu go-leu - ni,

62
S.
A.
a go - leu - ni a fu.
T.
B.
a go - leu - ni a fu.
Pno.
64
f
a go - leu - ni a fu.
f
a go - leu - ni a
f
66
rall.
A tempo
ff
a go - leu - ni a fu.
fu, ff a go - leu - ni a fu.
rall.
A tempo
ff
8va
21

3. Mae'n rhaid cael trefn

Creu'r ffurfafen, y ddaear a'r ne - yr ail ddiwrnod

(I gôr unsain neu ddeusain)

MERERID HOPWOOD

ROBAT ARWYN

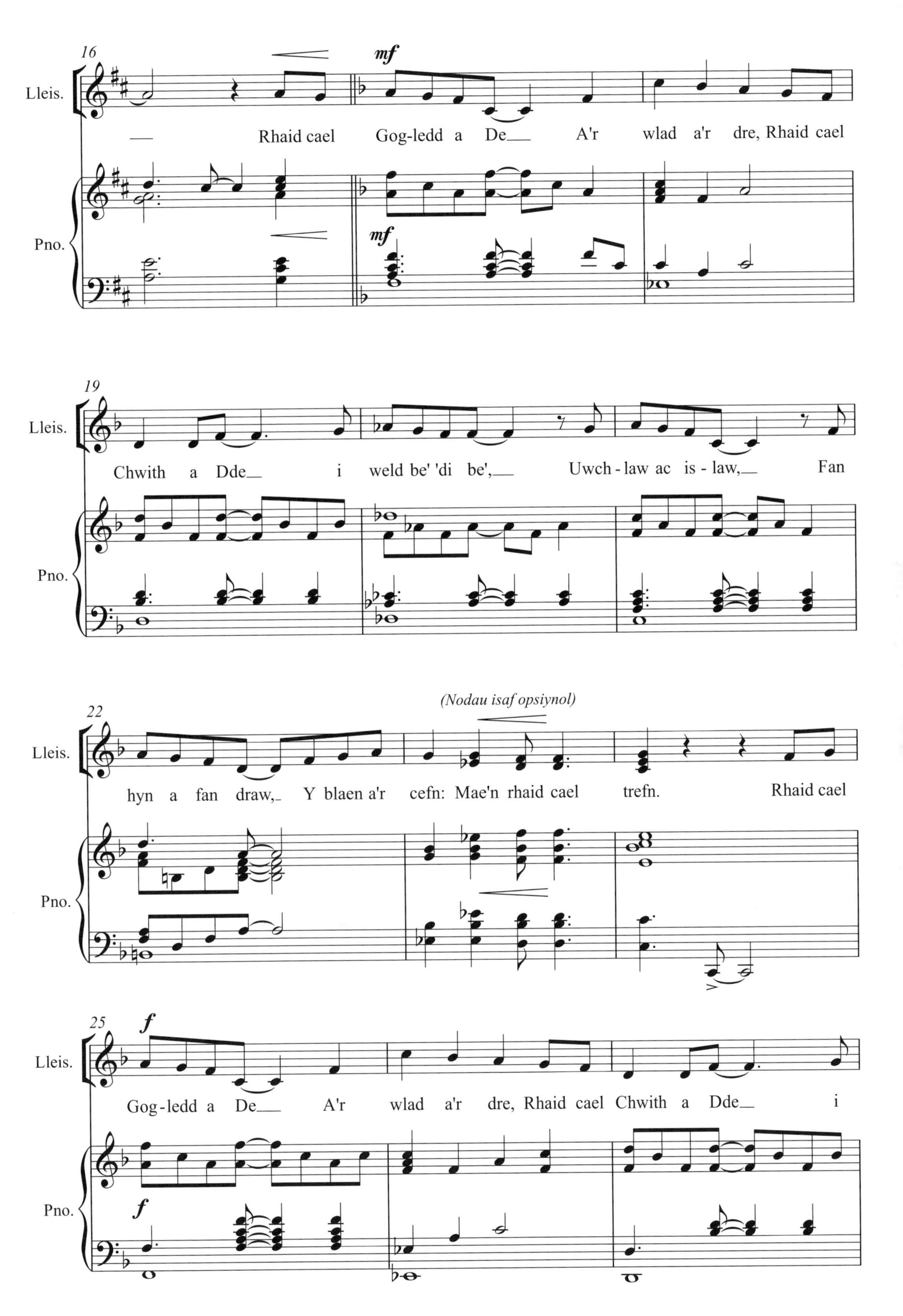
16
Lleis.
mf
— Rhaid cael Gog-ledd a De__ A'r wlad a'r dre, Rhaid cael
Pno.
mf
19
Lleis.
Chwith a Dde__ i weld be' 'di be',__ Uwch-law ac is-law,__ Fan
Pno.
22
(Nodau isaf opsiynol)
Lleis.
hyn a fan draw,_ Y blaen a'r cefn: Mae'n rhaid cael trefn. Rhaid cael
Pno.
25
f
Lleis.
Gog-ledd a De__ A'r wlad a'r dre, Rhaid cael Chwith a Dde__ i
Pno.
f

28
Lleis.
weld be' 'di be',
Uwch-law ac is-law,
Fan hyn a fan draw,
Y blaen a'r
Pno.

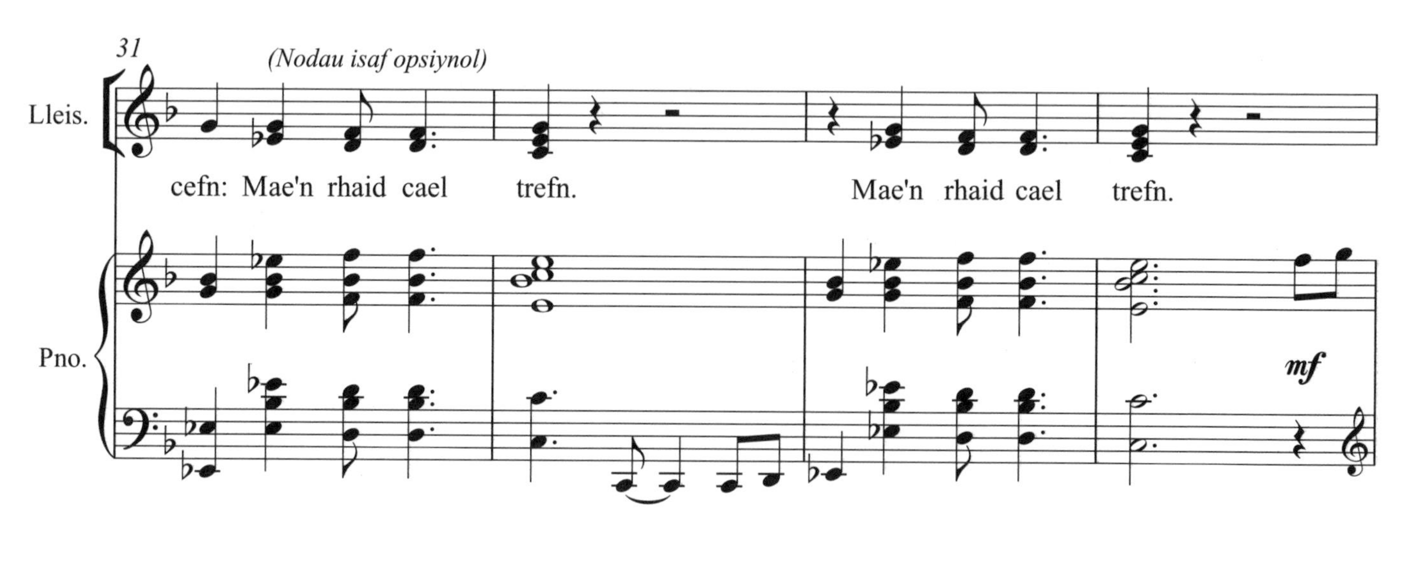
31
(Nodau isaf opsiynol)
Lleis.
cefn: Mae'n rhaid cael trefn.
Mae'n rhaid cael trefn.
Pno.
mf

35
Pno.

39
Lleis.
mp
A
Pno.

43
Lleis.
chy-da blaen bys aeth y Me-ddwl Mawr I dyn-nu llin - ell, llin-ell hir, Yn
Pno.
mp
47
Lleis.
or-wel o wên rhwng uwch-ben ac is - law, Yn ffur - fa-fen rhwng wyb-ren a thir.
Pno.
50
Lleis.
Rhaid cael du rhaid cael gwyn, A phant a bryn Rhaid cael
mf
Pno.
mf
53
Lleis.
gwyrdd a glas A mewn a mas, Rhaid cael bo-re a hwyr, rhag
Pno.

56
1.
2.
Pno.
dry - su yn llwyr, Y blaen a'r cefn: Mae'n rhaid cael trefn. Rhaid cael
(gellir canu'r 2il lais neu beidio)
dry - su yn llwyr, Y blaen a'r cefn: Mae'n rhaid cael trefn. Mae'n
59
f
Gog-ledd a De A'r wlad a'r dre, Rhaid cael Chwith a Dde i
(Nodau isaf opsiynol)
rhaid mae'n rhaid mae'n rhaid cael
62
weld be' 'di be', Uwch-law ac is - law, Fan hyn a fan draw, Y blaen a'r
trefn. Mae'n rhaid mae'n rhaid,

65
1.
2.
Pno.
p
cefn: Mae'n rhaid cael trefn.
Mae'n rhaid cael trefn.
Mae'n
Mae'n rhaid cael trefn.
Mae'n rhaid cael trefn.
Mae'n
69
mp
rhaid mae'n rhaid mae'n rhaid cael trefn,
(Nodau isaf opsiynol)
rhaid mae'n rhaid mae'n rhaid cael trefn,
73
mf
mae'n rhaid mae'n rhaid
Mae'n rhaid cael trefn.
Rhaid cael
mae'n rhaid mae'n rhaid
Mae'n rhaid cael trefn.
Mae'n

77
Gog-ledd a De A'r wlad a'r dre, Rhaid cael Chwith a Dde i weld be' 'di be', Uwch
(Nodau isaf opsiynol)
rhaid mae'n rhaid mae'n rhaid cael trefn.
Pno.
81
law ac is-law, Fan hyn a fan draw, Y blaen a'r cefn: Mae'n rhaid cael
Mae'n rhaid mae'n rhaid, Mae'n rhaid cael
84
trefn. Mae'n rhaid cael trefn. Mae'n rhaid cael trefn.
trefn. Mae'n rhaid cael trefn. Mae'n rhaid cael trefn.

4. Byd heb ei ail

Creu'r tir sych, y môr, yr had a'r llysiau - y trydydd a'r pedwerydd dydd

(I gôr SA neu SATB)

MERERID HOPWOOD | ROBAT ARWYN

14
S.
A.
am - ser i ben-dron-ni, dim ond bw-rw bant oedd rhaid.
Dw.
T.
B.
wa. Dw dw wa, dw wa w. Dw bi dw
mp
Pno.
18
mf
S.
A.
Me-fus a ma-fon a min-tys a mawn; llu-si a lly-siau a'r llwy-ni yn llawn;
T.
B.
wa wa, dw bi dw wa wa, dw bi dw
Pno.
mf
22
S.
A.
sin-sir a saff-rwn a sy-fi a sug; glas-wellt a gwy-mon a gwin yn y
T.
B.
wa w a, a gwin.
Pno.

26
S.
A.
grug.
(Merched i anwybyddu.)
wa dw wa.
mf
T.
B.
Dw bi dw wa, dw bi dw wa, dw bi dw dw bi dw dw bi dw
Pno.
mf
30
mp
Roedd
wa dw wa.
mp
wa. Dw bi dw wa, dw bi dw wa, dw bi dw wa.
mp
34
ang - en bach o dir sych braf, ac y - chy - dig mwy o fôr, lle i'r
dw wa w.
p
Dw dw wa, dw wa dw bi dw dw bi dw
mp

38
S.
A.
ha - dau gyd gael ty - fu, ac i'r try - dar droi yn gôr.
Dw
mp
T.
B.
wa. Dw dw wa, dw wa w. Dw bi dw
Pno.
42
mf
Rho - sod a rhe - dyn a rhiw - bob a reis; o - lew'r o - le - wydd a nw - dls neis - neis; ys - bi -
wa wa, dw bi dw wa wa, dw bi dw
mf
46
- gog - lys ac ys - gall ys - ga - wen ac yw; sioc - led a siw - gwr, mae'n dda bod yn
wa w a, mae'n dda.

50
S.
A.
fyw!
wa dw wa.
T.
B.
mf
Dw bi dw wa, dw bi dw wa, dw bi dw dw bi dw dw bi dw
Pno.
mf
54
mp
wa dw wa.
Dw bi dw wa, dw bi dw wa, dw bi dw wa.
Os Côr SA, y sopranos i ganu llinell y dynion 8fed yn uwch o 57 i 66,
a'r Altos i ganu llinell y merched.
wa.
mf
I'r
mp
58
mp
Dw da dw - a dw da. Pat-rwm hawdd di-
gre - a - di - gaeth faith yn grwn rho-ddwyd pat - rwm hardd, di - ffael, ac i
mf

62
S.
A.
haul.
- ffael, da dw a, car - tref dan yr haul, haul.
haul.
T.
B.
bo - peth ar a wnaeth - pwyd caf-wyd car - tref dan yr haul.
Pno.
67
Os Côr SA, anwybydder llinell y dynion hyd y diwedd.
mf
Ta - tws, to - ma - tos, tiw -
mp
Dw bi dw wa wa,
mf
71
- me-ric a teim; le - tys a li - lis a le-mwn a leim; da - tys a der-wen a
dw bi dw wa wa, dw bi dw wa w

75
S.
A.
T.
B.
Pno.
da - na - dl a dail,
ba - na - dl a bed - wen:
dy - ma fyd heb ei
ail.
a,
Byd heb ei
79
dy - ma fyd heb ei
ail.
ei
ail.
ail,
byd heb ei
ail,
byd heb ei
ail.
Byd heb ei
molto rit.
83
dy - ma fyd heb ei
ail.
ei
ail.
ail,
byd heb ei
ail,
byd heb ei
ail.
8va

5. Pyllau golau

Creu'r awyr a'r haul a'r lloer a'r sêr - y pumed dydd

(Unawd)

MERERID HOPWOOD

ROBAT ARWYN

Yn dyner ♩ = *c.*74
Piano
p
5
Unawd
p
Breu-ddwyd-iai'r Me-ddwl Mawr ar we - ly maith yr a - wyr
Pno.
8
ddu, am o - sod pen i lawr a threu-lio'r nos ar gw - mwl
12
plu. Ac y - na daeth syn - iad ym - hen dwy, dair eil - iad, dim

15
mwy na dy-mun-iad, fod ang-en twll a lle i bwll o o - lau.
19
mp
22
mp
Roedd y lloer yn un - ig iawn heb gwm - ni neb ond aur ei
25
rhod, a'r nos o'i chylch mor llawn o ddim, beth ty-bed oedd yn

29
bod? Ac y - na daeth syn-iad ym-hen dwy, dair eil - iad, dim
32
mwy na dy-mun-iad, fod ang - en twll a lle i bwll o o -
35
- lau.
38
mf
Ar ael-wyd hwnt i'r lloer gwnaed lle i'r
mf

41
haul gael llos - gi'n fawr, a throi pob nos - on
44
oer yn ddydd o haf am ddeu - ddeg awr. A thrwy
p
47
flan - ced trwm y nos gwnaed un, dau, tri, ped - war, pump, chwe
mp
p
mp
50
thwll, 'run maint â se - ren dlos, yn winc o
mf
rall.
mf

53
A tempo
rall.
A tempo
wên, â'i go-lau'n bwll. A
57
dim ond blaen by-sedd drwy'r nef-oedd ddi-ddi-wedd, gwnaed py-llau gor-fo-ledd i'r
60
sêr di-rif, â'u gwên yn llif o o-lau. Daeth mil-oedd ar fil-oedd o
63
sêr bach a'u by-doedd drwy ddyfn-der can-ri-foedd, a'u sto-ri mud yn dweud o

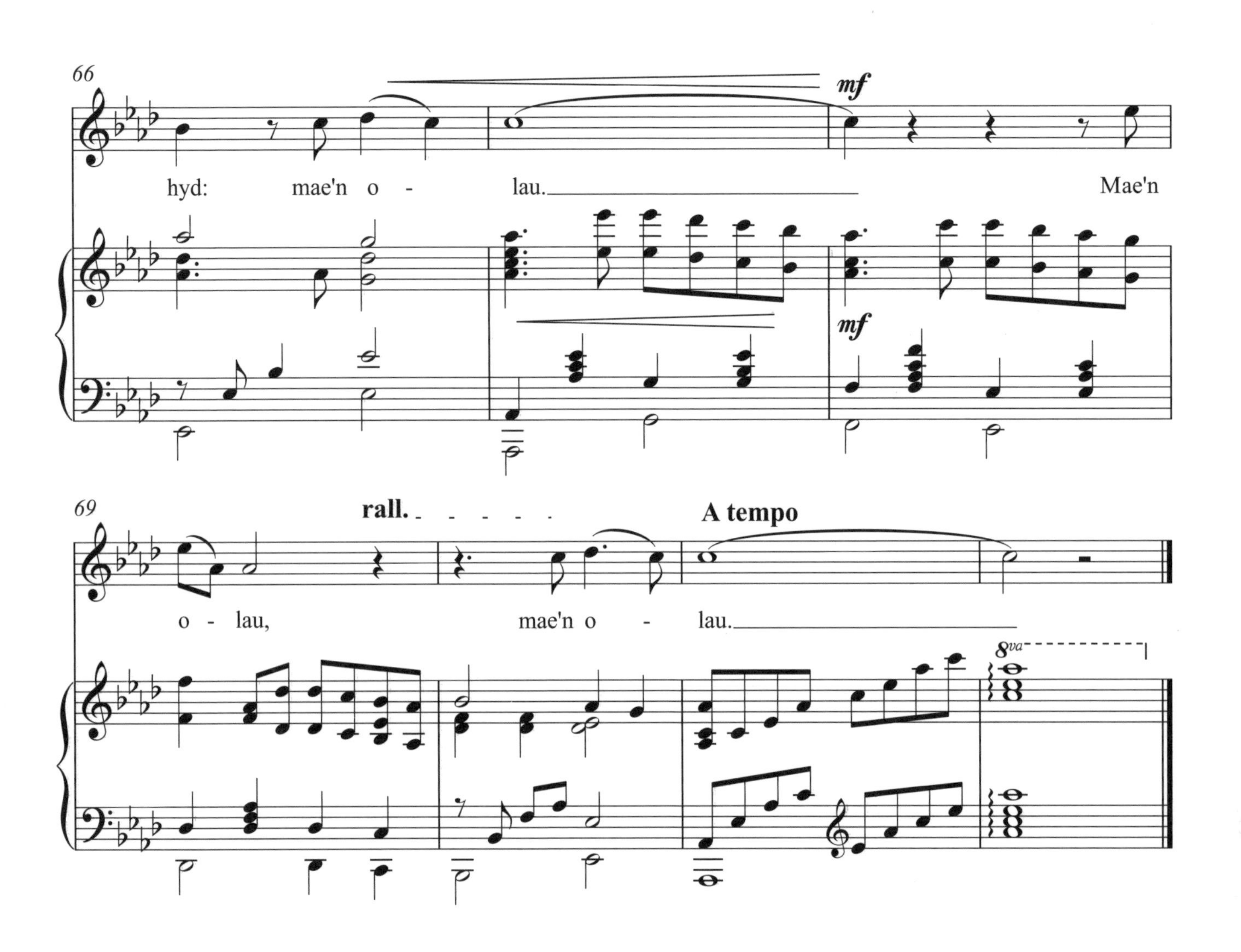
66
mf
hyd: mae'n o - lau.
Mae'n
mf
69
rall.
A tempo
o - lau, mae'n o - lau.
8va

6. Do!

Creu adar, pysgod, creaduriaid a phobol - y chweched dydd

(I gôr unsain neu ddeusain wedi ei rannu'n ddau grŵp)

18
1.
y-na cyn cin - io, ar ôl Jac y Do,_ ac A-dar y To,_ Crë-wyd y Do-do!
Pno.
22
Do! A chrë-wyd y Do - do! Do!_ Creu'r
2.
Na - ddo? Na-ddo? Creu'r
mf
Grŵp 1 a 2 - unsain neu ddeusain
26
Do - do,_ Toc cyn cin - io! Do! Do!_ Toc cyn cin - io!
30
Do! Do!_ Toc cyn cin - io! Do! Do!_ Do! Do! Creu'r

34
2.
1.
2.
Do! Do Do! Do! Do! Do!
Pno.
mp
38
2.
mf
Cyn sw - per crë-wyd yr hi-
mf
42
- po. Yr hi - po - po - ta - mws am - ffib - i - ws.
45
Na - ddo? Na-ddo?
Do! A'r pla - ti - pws a'r oc - to - pws. Do! A'r

49
2.
mor-lo a'r cad - no Ac O! ac O! Y fuwch a'r llo, Yn gwm-ni i'r Do-do!
Pno.
53
1.
Na - ddo? Na-ddo? Creu'r
2.
Do! A chrë-wyd y Do - do! Do! Creu'r
Pno.
Grŵp 1 a 2 - unsain neu ddeusain
57
1.
2.
Do - do, Toc cyn cin - io! Do! Do! Toc cyn cin - io!
Pno.
61
1.
2.
Do! Do! Toc cyn cin - io! Do! Do! Do! Do! Creu'r
Pno.

rall.
2.
Do! Do Do! Do! Do! Do!
mf
Unawdydd, grŵp o leisiau, neu'r côr cyfan
rall.
Gyda thynerwch ♩ = 63
mp
Ac y - na cyn cys - gu, A'r gw - mwl o we - ly, Crë - wyd
mp
bach - gen a merch A'u ca - lon - nau'n llawn serch, Caw - sant lais i ym - ddi - ddan A
gwe - fus yn gu - san, Dwy ly - gad i sia - rad a rhan - nu eu bwr - iad, Y
Pno.

78
mf
mp
1.
2.
chwer-thin a'r wy-lo Ac y-na, i'w dwy-lo Fe rodd-wyd yr all-wedd i
Pno.
poco più mosso ♩ = 66
81
fyd o dang - ne - fedd,
All-wedd ne - wydd
84
f
sbon: "NA CHO-LLWCH HON!"
molto rit.
A tempo 𝅗𝅥 = 72
87
Ond fe'i coll - wyd!
Na-ddo? Do! Fe'i

90
1.
2.
coll - wyd!
Na - ddo! Do! Fe'i coll - wyd!
Pno.
93
Na - ddo! Do! Wel Do! Do! Do! Do! Fe'i coll - wyd!
97
Na - ddo? Do! Fe'i coll - wyd!
Na - ddo! Do! Fe'i coll - wyd!
Os am ddiweddglo unsain,
cenir y nodau uchaf yn unig.
101
ff
Do! Do! Do! Do! Do! Do!

7. Gorffwys

Y seithfed dydd

(I gôr unsain, deusain neu SATB)

MERERID HOPWOOD

ROBAT ARWYN

* llais 2 - opsiynol
A tempo
rall.
S.
A.
chwt. Rôl y chwys a'r brys roedd hi'n bryd cael hoe, a-
Pno.
8vb
A tempo
rall.
A tempo
-raf-wyd pob cur - iad cyf - lym, clou. Rôl y chwys a'r brys roedd hi'n
rall.
A tempo
bryd cael hoe, mae'n rhaid i ba-rad-wys gael gor-ffwys.
(unis.)
Och-neid-iodd yr a-wel a'r a - fon a

27
S.
A.
thyn-nodd pob o - gof ei llen, dis - taw-odd y dail eu dis - go, a
Pno.
rall. A tempo
29
phly-godd pob li - li ei phen, "Shwsh!" me-ddai'r ci bach o'r Gog-ledd yn da - wel, wrth
p
rall.
31
swat - io yn ei gwt, cyn i'r bw-ni o'r De fynd i gw-tsho mewn ca-well dei - di,
* llais 2 - opsiynol
A tempo
rall.
34
mp
dwt. Rôl y chwys a'r brys roedd hi'n bryd cael hoe, a -
Os Côr deusain, anwybydder llinell
y dynion o bar 35 ymlaen
T.
B.
p
Ww,
mp
8vb

37
A tempo
rall.
A tempo
S.
A.
-raf-wyd pob cur - iad cyf - lym, clou. Rôl y chwys a'r brys roedd hi'n
T.
B.
ww.
Ww,
Pno.
40
rall.
A tempo
mp
bryd cael hoe, mae'n rhaid i ba-rad-wys gael gor - ffwys.
p
ww,
gor - ffwys.
mp
43
Sopranos
Roedd am-
mp

-ran - nau trym-ion dwy ly - gad yr Hen Fe - ddwl Mawr yn cau, 'Bu'n
Ww,
Ww,
S.
A.
T.
B.
Pno.
gyf - nod pry - sur!' e - by - chodd, 'Saith niwr-nod, wyth nos, fwy neu lai! Dewch at eich
rall.
Ww,
A tempo
gi - lydd mae'n am-ser breu-ddwyd-io am wyrth, yr o - rau'i gyd,
sef

53
rall.
mf
sto - ri ry - fe - ddol holl Ha - nes Creu Po - peth Yn Y
S.
A.
T.
B.
Pno.
55
A tempo
rall.
mp
Byd!' Rôl y chwys a'r brys roedd hi'n bryd cael hoe, a -
p
Ww,
8vb
58
A tempo
rall.
A tempo
- raf-wyd pob cur - iad cyf - lym, clou. Rôl y chwys a'r brys roedd hi'n
Ww,
Ww,

61
rall.
A tempo
mp
S.
A.
bryd cael hoe, mae'n rhaid i ba - rad - wys gael gor - ffwys,
T.
B.
p
Ww, gor - ffwys,
mp
Pno.
64
rall.
p
pp
S.
A.
gor - ffwys, gor - ffwys.
T.
B.
p
pp
gor - ffwys, gor - ffwys.
p
pp
Pno.